Chers amis rongeurs,
bienvenue dans le monde de

Geronimo Stilton

Texte de Geronimo Stilton.
*Basé sur une idée originale d'*Elisabetta Dami.
Coordination éditoriale de Piccolo Tao *et* Linda Kleinefeld.
Édition de Topatty Pacicca, Eugenia Dami *et* Daniela Finistauri.
Direction artistique de Gògo Gó. *Assistance artistique de* Lara Martinelli.
Couverture de Cleo Bianca *(dessin) et* Vittoria Termini *(couleurs).*
Illustrations intérieures de Roberto Ronchi *(dessin)*, Christian Aliprandi
et David Turotti *(couleurs).*
Graphisme de Merenguita Gingermouse *et* Michela Battaglin.
Traduction de Titi Plumederat.

www.geronimostilton.com

Pour l'édition originale :
© 2007 Edizioni Piemme S.p.A. – Via Galeotto del Carretto, 10 – info@edizpiemme.it – Italie –
www.edizpiemme.it – info@edizpiemme.it, sous le titre *La mummia senza nome*
International rights © Atlantyca S.p.A. – Via Leopardi, 8 – 20123 Milan, Italie – www.atlantyca.com
contact : foreignrights@atlantyca.it
Pour l'édition française :
© 2008 Albin Michel Jeunesse – 22, rue Huyghens – 75014 Paris – www.albin-michel.fr
Loi 49 956 du 16 juillet 1949 sur les publications destinées à la jeunesse
Dépôt légal : premier semestre 2009
N° d'édition : 17096/3
ISBN-13 : 978 2 226 18967-7
Imprimé en France par l'imprimerie Clerc à Saint-Amand-Montrond en décembre 2009

Geronimo Stilton

LE SECRET
DE LA MOMIE

ALBIN MICHEL JEUNESSE

GERONIMO STILTON
SOURIS INTELLECTUELLE,
DIRECTEUR DE *L'ÉCHO DU RONGEUR*

TÉA STILTON
SPORTIVE ET DYNAMIQUE,
ENVOYÉE SPÉCIALE DE *L'ÉCHO DU RONGEUR*

TRAQUENARD STILTON
INSUPPORTABLE ET FARCEUR,
COUSIN DE GERONIMO

BENJAMIN STILTON
TENDRE ET AFFECTUEUX,
NEVEU DE GERONIMO

C'ÉTAIT UN PARESSEUX APRÈS-MIDI D'OCTOBRE...

C'était un paresseux après-midi d'octobre...
Dehors soufflait un vent GLACIAL qui faisait tour-
billonner les feuilles mortes.
J'étais bien au chaud, blotti dans ma petite maison
douillette, et je lisais.

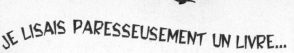

JE LISAIS PARESSEUSEMENT UN LIVRE…

JE BUVAIS UN THÉ AU JASMIN…

JE GRIGNOTAIS UN BISCUIT AU FROMAGE…

QUAND MON PORTABLE SONNA :

JE VENAIS DE RECEVOIR UN SMS.

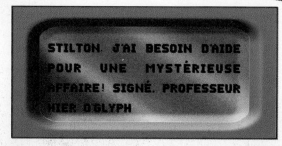

STILTON. J'AI BESOIN D'AIDE POUR UNE MYSTÉRIEUSE AFFAIRE! SIGNÉ. PROFESSEUR HIER O'GLYPH

Hier O'Glyph est le plus célèbre égyptologue, c'est-à-dire le plus grand spécialiste de l'Égypte, de l'Île des Souris ! Il est également directeur du **MUSÉE ÉGYPTIEN** de Sourisia ! Et c'est aussi… un de mes meilleurs **amis** !

EUH,
Q-QUI ES-TU ?

Je réfléchis :

– Savoir ce qu'il mijote… Je vais en profiter pour emmener Benjamin, mon neveu *adoré*, au musée.

J'appelai aussitôt chez tante Toupie, où habite Benjamin :

– Ma petite lichette d'emmental, as-tu envie de m'accompagner au Musée Égyptien ? Si tu veux, tu peux inviter un copain !

Il s'exclama :

– **WAOUH, VOLONTIERS, TONTON !**

Je t'attends !

J'allai aussitôt chercher Benjamin chez tante Toupie, où une surprise m'attendait…

J'entrai dans la maison et me dirigeai vers la porte de la cuisine… qui **s'ouvrit** brusquement en claquant mon museau et me cabossa les moustaches : *sbam* !

Je tombai à la renverse en murmurant :

– **GLBB… GLBBBBBBBBB !**

Quand je repris mes esprits, je découvris une petite fille dont les **cheveux noirs** étaient coiffés en d'innombrables petites tresses !

Glbbbbbbbb !

Elle portait un **JEAN BLEU** délavé et un tee-shirt orné d'un gros cœur vert. Elle avait aussi un **BANDANA** couvert de petits cœurs verts, et un appareil photo dernier cri accroché autour du cou.

Elle me prit la patte et la serra énergiquement… *un peu trop énergiquement, même !*

Je balbutiai :

– Euh, q-qui es-tu ?

L'**étrange** petite fille me hurla dans les oreilles :

– Saluuuuuuut ! Je suis **Pandora Woz** ! Attention à la prononciation ! On dit : P-a-n-d-o-r-a O-u-o-z !

Par mille mimolettes ! Je ne le savais pas encore, mais cette **étrange** rencontre était l'**étrange** début d'une **étrange** aventure… la plus **étrange** de toute ma vie !

PANDORA WOZ

Prénom : Pandora *!*
Nom : Woz *!*
Surnom : Croquette *!*
Qui est-ce : la nièce de Patty Spring *!*
Sa mission : comme sa tante Patty,
elle rêve de sauver la nature *!* Elle aime
les plantes et les animaux *!*
Son sport préféré :
le vélo *!*
Son secret : quand elle
sera grande, elle veut
se marier avec
Benjamin *!*

Pandora Woz

JE PEUX T'APPELER
« ONCLE G » ?

La petite fille écarquilla les yeux et hurla :

– Tu es *Geronimo Stilton*, pas vrai ? Waouh, tu es rudement connu !

Puis Pandora hurla avec enthousiasme, **avec un peu trop d'enthousiasme, même** :

– J'ai tellement entendu parler de toi, je sais que tu diriges l'*Écho du rongeur*, le journal le plus célèbre de l'Île des Souris ! Je peux t'appeler **Oncle Geronimo** ? Ou plutôt, tu es tellement mignon en pelage et en os que je t'appellerai…

ONCLE G !!!

Elle sautilla autour de moi avec un tel enthousiasme... *qu'elle me piétina la queue !* **(1)**

Je hurlai de douleur :

—Aïïïïïïïïïe !

Ma queuuuuuue !

Je me relevai, tout endolori, en massant ma queue chiffonnée.

Pandora me conseilla avec empressement :

—Ne reste pas debout. Allez, assieds-toi, **oncle G !**

Mais, en m'apportant une chaise... *elle m'écrasa une patte !* **(2)**

Je hurlai :

—Aïïïïïïïïe !

Ma paaaaaatte !

(1)

(2)

Pandora **soupira** :

— Excuse-moi, **oncle G**, mais tu devrais faire plus attention ! Ça te fait toujours mal ? Comment tu fais pour être encore en vie ?

Heureusement, tante Toupie prit soin de moi, me banda la **queue** et me massa la patte. Elle m'avait si souvent consolé et soigné quand j'étais une toute petite petite souris.

Tandis qu'elle préparait un **chocolat** chaud pour Pandora, pour Benjamin et pour moi, tante Toupie me dit :

— Dans quelques jours, c'est l'**ANNIVERSAIRE** de Benjamin. Nous pourrions tous organiser une

FÊTE EXCEPTIONNELLE

Je souris :

— Oui, j'aimerais beaucoup organiser une grande fête où tout le monde serait *déguisé*,

mais je n'ai pas encore décidé du thème...
Pandora me perfora les tympans :

– *U-n-e f-ê-t-e ?* J'adore les fêtes ! **Je serai invitée, hein, oncle G ?**

Je marmonnai :

– Euh, m-mais bien sûr !

Elle m'embrassa affectueusement. Si affectueusement... *qu'elle m'étouffa presque !* **(3)**

Je murmurai :

– Je ne peux plus respirer... j'étouuuuffe... glbbb...

(3)

AMOUREUX ?
MAIS NON, MAIS SI,
ENFIN PEUT-ÊTRE…

À ce moment-là, mon téléphone SONNA.

Je répondis :

– Allô, ici Stilton, *Geronimo Stilton* !

Une voix douce, mais décidée, chicota dans l'appareil :

– **SALUT, G !**

J'avais à peine reconnu la voix que je rougissais. Heureusement, au téléphone, ça ne se voit pas.

Je répondis d'un ton emprunté :

– Hemmm, salut, Patty…

C'était Patty Spring, ma charmante amie. C'est une journaliste de la télévision qui

consacre sa vie à sauver les animaux et la nature !
J'avoue avoir un faible pour elle… j'aimerais bien
qu'elle soit ma *fiancée* !

Elle s'exclama :

– Je sais que ma petite nièce chérie est avec toi !

Je balbutiai, surpris :

– Ta… nièce ?!?

Pandora me tira par la manche de la veste :

– C'est moi, la nièce de Patty Spring !

Je sursautai :

– Ta… euh… ta nièce ? Mais elle ne te ressemble
pas du tout !

– Bah, c'est quand même ma nièce.
Benjamin et elle sont de grands
amis. Je te la confie pour une
semaine. Je te tiens pour res-
ponsable d'elle. **SALUT, G !**

Je raccrochai en soupirant,
rêveur.

Hem…

Ah, Patty est vraiment une rongeuse charmante !
Pandora me tira par la manche de la veste :

– Oncle G, pourquoi soupires-tu ? Tu es amoureux de tata ? Vous allez vous marier ? Quand ? Je pourrai être demoiselle d'honneur ? Où passerez-vous votre **lune de miel** ? Et comment sera la PIÈCE MONTÉE ? J'ai une idée : je vais appeler tante Patty et lui annoncer que tu es amoureux d'elle. *À mon avis* elle sera ravie !

Je m'écriai :

– N'appelle pas Patty ! Je ne suis pas amoureux ! Enfin *si,* enfin *non,* enfin *peut-être…*

Elle SECOUA la tête :

– Tu es raide dingue de tata, ça se voit, ONCLE G !

Je hurlai :

– Je ne suis pas ton *oncle* et de toute façon je ne suis pas *dingue*, enfin, je ne suis pas *raide* !

Le téléphone sonna et je répondis :

– *Stilton, ici allô, enfin, allô, ici Stilton !*

C'était encore Patty Spring :

– G ? J'insiste, hein, occupe-toi bien de ma nièce !

– Ne t'inquiète pas, Patty, pour toi, je ferais... euh... n'importe quoi, par **AMITIÉ**, je veux dire, bien sûr !

Pandora murmura à Benjamin :

– Tu sais que, quand *ton* oncle parle à *ma* tante, il a vraiment l'air d'un benêt !

J'avais raison : il est vraiment raide dingue !

Pourquoi le musée est-il désert ? Bizarre !!

Accompagné de Pandora et de Benjamin, je me rendis au **MUSÉE ÉGYPTIEN** de Sourisia. D'habitude, il y a toujours une **looooooooooooooooooooooongue** queue de visiteurs à l'entrée, mais, ce jour-là, personne. Allez savoir pourquoi ! Hum… très **bizarre** !

Nos pas retentissaient, LUGUBRES, dans une salle déserte.

Le HALL était gardé par une grande statue de Bastet, la déesse à tête de CHAT.

Ce regard félin me fit frissonner. Brrr...

Je pris la petite patte de Benjamin et celle de Pandora, pour les rassurer :

LA DÉESSE BASTET

Déesse au corps de femme et à la tête de chat, c'était la divinité égyptienne protectrice de la santé, de la danse et de la musique. Pour obtenir sa faveur, les anciens Égyptiens offraient du poisson frais aux chats domestiques, qui étaient considérés comme les représentants sur terre de la déesse Bastet. Son temple se trouvait dans la ville de Bubastis, dans le delta du Nil.

DÉESSE BASTET

– Ne vous inquiétez pas, tout va bien. N'ayez pas peur !

Benjamin chicota :

– Mais je n'ai pas peur, oncle Geronimo !

Pandora **HURLA** :

– N-o-u-s, n-o-u-s n'a-v-o-n-s p-a-s p-e-u-u-u-u-u-u-u-u-r !

Je criai :

– J'ai bien compris que vous n'aviez pas peur !

C'est alors que Pandora s'aperçut qu'elle avait oublié dans la voiture les **PELLICULES** pour son appareil photo.

– On revient tout de suite, oncle G, attends-nous ici ! dit-elle, et elle partit au pas de course avec Benjamin.

Je les attendis seul dans le HALL de marbre qui était désert... spectral...

J'éternuai :

– **ATCHOUM** !

Je suis allergique à la poussière... et, dans ce musée, ce n'est pas ce qui manque !

C'est alors que j'entendis un bruit : *sbang !*

Je me retournai : des piquets et un CORDON de protection venaient de tomber, près d'un sarcophage d'or. Qu'est-ce qui les avait fait tomber ? Je m'approchai : un écriteau indiquait Momie Sans Nom. Une répugnante odeur de MOISI se répandit dans l'air.

Du sarcophage sortit... une momie ! Une véritable MOMIE couverte de poussière, avec des BANDELETTES JAUNÂTRES qui pendouillaient comme des toiles d'araignée moisies ! Elle (la momie) hulula :

– Jeee suiiis… la MOMIIIE SAAANS NOOOM !

Je hurlai :

– *AU SECOUUUUUUURS !*

La Momie Sans Nom s'approcha de moi si près qu'elle me frôla les moustaches :

– Va-t'eeen… avaaant qu'iiil ne soiiit trooop taaard !

Puis un **FLASH** m'aveugla et une petite voix s'écria :

– Je t'ai pris en photo, oncle G !

Pandora et Benjamin étaient revenus…

Avaient-ils vu, eux aussi, la momie qui s'enfuyait en laissant derrière elle une traînée de poussière millénaire ?

TU ES SÛR
DE NE PAS AVOIR
LA CITROUILLE CREUSE ?

Les **YEUX ÉCARQUILLÉS**, je balbutiai :

– L-la m-momie ! N-n'ayez p-pas p-peur !

Benjamin demanda, étonné :

– Une momie ?

Pandora s'écria :

– Nous, nous n'avons pas peur, oncle G ! N-o-u-s n'a-v-o-n-s p…

Je *hurlai*, exaspéré :

– J'ai bien compris que vous n'aviez pas peur ! Mais moi, j'ai vu une momie qui m'a menacé avant de s'enfuir !

Benjamin regarda autour de lui :

– Je ne vois personne. Tu es sûr que tu vas bien, oncle Geronimo ?

Pandora cria :

–**Oncle G**, tu es sûr de ne pas avoir une case vide ? De ne pas avoir la citrouille creuse ? De ne pas avoir la courge rongée ? De…

Je criai :

–Tout va très bien ! J'ai vraiment vu une MOMIE !

Benjamin répondit :

– C'est normal ! Ici, c'est bourré de momies ! Nous sommes au Musée Égyptien !

Pandora lui décocha un coup de coude :

Puis je m'évanouis et tombai à la renveeeeeeeeeerse !

–Ton oncle est vraiment **bizarre**. À mon avis, il est amoureux…

C'est alors que *quelqu'un* me pinça la queue. Je hurlai :

–Au secouuurs ! La momie !

Quand je revins à moi, un rongeur au pelage blond était penché sur moi : il portait des lunettes rondes d'*intellectuel* et avait un regard plein de malice.

Il murmura d'un air MYSTÉRIEUX :

–Vous avez raison, Geronimo. Vous avez bel et bien vu une momie. C'est pourquoi je vous ai demandé de venir au MUSÉE. J'ai besoin de votre aide pour résoudre un mystère très étrange.

Je le reconnus aussitôt.

C'était…

   justement…

      le professeur…

         Hier O'Glyph !

Le professeur Hier O'Glyph

PRÉNOM : HIER !

NOM : O'GLYPH !

SURNOM :

LE RAT DU DÉSERT !

QUI EST-CE : LE

DIRECTEUR DU MUSÉE

ÉGYPTIEN DE SOURISIA !

SON TRAVAIL :

FAIRE LE TOUR

DU MONDE À LA

RECHERCHE DE

PAPYRUS MYSTÉRIEUX !

SA PASSION : IL A UNE INCROYABLE

COLLECTION DE LIVRES DE BLAGUES,

ET IL ADORE EN RACONTER À SES AMIS

ET À SES PARENTS !

SON SECRET : IL ADORE FAIRE

DES PLAISANTERIES BIZARRES !

DEUX NOUVEAUX ASSISTANTS POUR LE PROFESSEUR HIER O'GLYPH !

Je murmurai :

– Que se passe-t-il, professeur ?

Il posa un doigt sur son **museau** et chuchota d'un air mystérieux :

– Chuuuuuut ! On pourrait nous entendre ! Suivez-moi !

Le professeur tourna à droite, puis à gauche. Puis à droite et à gauche encore.

Puis il continua tout droit en longeant un couloir qui conduisait dans une pièce **ronde**.

Il traversa une salle **RECTANGULAIRE** puis une salle **CARRÉE**. *Par mille mimolettes,* ce musée était un vrai labyrinthe !

Le professeur tourna encore à droite et, enfin,

s'arrêta devant une petite porte, à côté de laquelle
était fixée une plaque portant cette inscription :

Il sortit de sa poche un gros trousseau de clefs, en
choisit une et ouvrit la porte.
Nous pénétrâmes dans un bureau *poussiéreux*,
aux murs tapissés d'étagères.
J'éternuai : **ATCHOUM** !
De tous côtés, il y avait des livres de toutes sortes,
mais qui avaient un point commun : ils traitaient
tous de l'ÉGYPTE ANTIQUE !

ÉGYPTE

LE NIL

La civilisation égyptienne s'est développée au bord du Nil. Pendant la saison des inondations, les eaux de ce fleuve déposent sur les rivages une précieuse boue, le limon, qui rend les champs très fertiles.

GIZEH

LE CAIRE

HERMOPOLIS

ASSIOUT

THÈBES

LES PYRAMIDES DE GIZEH

La plaine de Gizeh est dominée par trois pyramides construites par les pharaons Khéops, Khéphren et Mykérinos il y a 4500 ans. La grande pyramide de Khéops est haute de 137 mètres ; chacun des côtés de sa base mesure 230 mètres. Les Égyptiens mirent plus de vingt ans pour la construire.

LE SPHINX

Long de 57 mètres et haut de 20, c'est la plus grande statue de pierre monolithique, c'est-à-dire réalisée dans un seul bloc de roche calcaire. Construite durant le règne de Khéphren (aux environs de 2620 avant J.-C.), il fut restauré par Thoutmosis IV (qui régna vers 1400 avant J.-C.), puis par Napoléon (1769-1821).

Dans la mythologie grecque, le Sphinx était un monstre à corps de lion et à tête d'homme. Il vivait près de la ville de Thèbes et dévorait les voyageurs qui étaient incapables de répondre à l'énigme qu'il leur proposait !

Le professeur s o u p i r a :

– Dans ce bureau, les oreilles indiscrètes ne pourront nous entendre. Ici, nous pouvons parler sans crainte d'être écoutés ! Je suis heureux de vous revoir, Geronimo.

– Moi aussi, professeur, je suis heureux de vous revoir. Je vous présente mon neveu Benjamin et… euh, Pandora Woz, la nièce de Patty Spring !

Il marmonna :

– Hum, puis-je avoir confiance en eux ?

Je me tournai vers les enfants :

– Je me porte garant pour vous, mais… ne me le faites pas regretter !

Le professeur s'adressa à eux :

– Vous vous y connaissez en Égypte, vous ?

Pandora et Benjamin s'écrièrent en chœur :

– On adore les MOMIES, les SARCOPHAGES, les PYRAMIDES !

Il sourit :

– Bien bien bien. Dans ce cas, je vous nomme offi-ciellement mes assistants !

Il épingla sur leur MAILLOT un badge por-tant l'inscription « Musée égyptien de Sourisia ».

Pandora et Benjamin étaient très *FIERS* de leur nouvelle mission !

LE MYSTÈRE DE LA MOMIE SANS NOM

Le professeur Hier O'Glyph nous expliqua :

– Comme vous le voyez, le **MUSÉE ÉGYPTIEN** est désert. Savez-vous pourquoi ? *Quelque chose* effraie les visiteurs !

Je demandai, **tremblant :**

– L-la M-momie S-sans N-nom ?

– Exactement ! Il y a une semaine, je suis descendu dans les souterrains du musée, qui sont fermés depuis des années...

– Brrr ! pensai-je. Ce doit être un endroit angoissant : moi, je n'y mettrais pas les pattes !

Hier O'Glyph poursuivit son récit :

– C'est dans ces souterrains que j'ai découvert un précieux sarcophage en or. Il contenait une étrange momie, que j'ai alors baptisée Momie Sans Nom parce que je n'ai pas encore réussi à l'identifier. J'ignore de qui il s'agit et à quelle période HISTORIQUE elle appartient ! J'ai exposé ce sarcophage dans le HALL du musée.

Je murmurai :

– C'est là que je l'ai vue !

Le professeur continua :

– Depuis ce jour, tous les visiteurs ont été épouvantés par une mystérieuse momie... qui HURLE d'un air menaçant... enveloppée d'un nuage de poussière !

Je frissonnai :

– Brrrrrrrrrrrrrrrrrrrrrrrrrrr !

JE SUIS LA MOMIE SANS NOM !

Une mystérieuse momie…

qui hurle d'un air menaçant…

enveloppée d'un nuage de poussière !

JE SUIS
LE PHARAON...

Le professeur poursuivit :
– À l'intérieur du sarcophage d'or, en plus de la Momie Sans Nom, j'ai trouvé un PAPYRUS. Je vais vous le montrer : hélas, il en manque un morceau !

HIÉROGLYPHES

Le mot **hiéroglyphe** signifie « gravure sacrée ». Il vient du grec *hieros* (sacré) et *gluphein* (graver). Les hiéroglyphes peuvent être de deux sortes : des idéogrammes, c'est-à-dire des dessins qui représentent des concepts (par exemple, le soleil était désigné par un disque), et des phonogrammes, c'est-à-dire des dessins qui représentent des sons. Dans l'Égypte antique, seuls les **scribes** savaient écrire en hiéroglyphes, et c'est pourquoi ils jouissaient d'une grande considération.

Scribe

LE PAPYRUS TROUVÉ PAR LE PROFESSEUR HIER O'GLYPH DANS LE SARCOPHAGE D'OR DE LA MOMIE SANS NOM

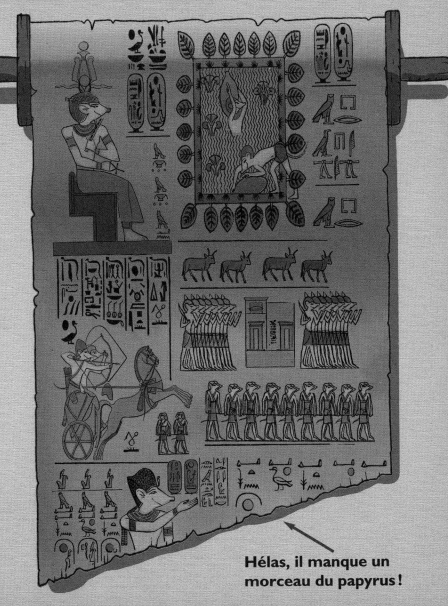

Hélas, il manque un morceau du papyrus !

JE SUIS LE PHARAON…

Hier O'Glyph nous montra un carnet.

– Voici la traduction que j'ai faite pour vous !

Je suis le pharaon de la Haute et de la Basse Égypte. Je repose dans un précieux sarcophage d'or. J'ai régné sur les fertiles terres baignées par le Nil. J'ai régné sur tous ceux qui y habitaient. J'ai régné dans un grand palais, avec d'innombrables richesses, une armée puissante et une foule de serviteurs.

Je vais révéler un grand secret : mon trésor le plus précieux est...

…ICI, LA TRADUCTION S'INTERROMPT, PARCE QUE LE PAPYRUS EST DÉCHIRÉ !

Puis le professeur soupira :

– Comme vous le voyez… hélas, le *papyrus* est déchiré ! C'est pourquoi nous ne pouvons pas savoir quel est le précieux trésor dont parle le pharaon, ni où il se trouve. Ah, si nous pouvions trouver le morceau manquant… peut-être est-il dans le musée ! Essayons de le chercher !

Un trésor…

Qui a éteint
la lumière ?
Qui ? Qui ? Quiii ?

C'est alors que nous entendîmes un craquement : tout le monde sursauta.

J'avais les moustaches qui se tortillaient de FROUSSE.

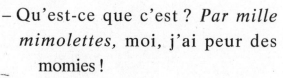

Brrr...

– Qu'est-ce que c'est ? *Par mille mimolettes,* moi, j'ai peur des momies !

De nouveau, on entendit *un* craquement, puis *un* autre et *un* autre encore, comme si *quelqu'un* marchait dans le couloir en faisant grincer les vieilles lames du parquet.

Soudain... toutes les lumières s'éteignirent.

Le professeur cria :

– Halte ! Qui va là ? Qui a éteint la lumière ?

Nous sentîmes une odeur de poussière et entendîmes un hurlement :

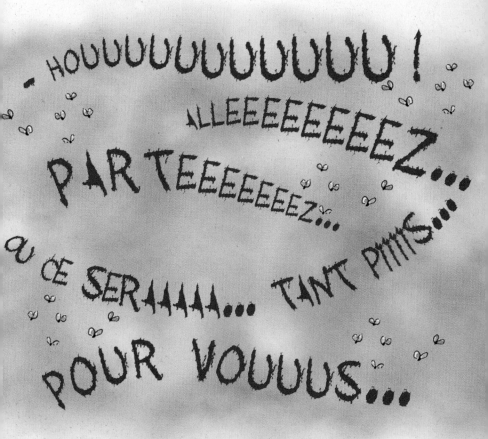

Puis nous entendîmes un bruissement, comme si *quelqu'un* approchait à pas feutrés...

C'était **TRÈS TRÈS TRÈS** proche de nous ! Je sentis une odeur de moisi et de poussière millénaire... la même que j'avais reniflée quand j'avais vu la **MOMIE** !

Soudain, nous entendîmes un petit rire étouffé, qui faiblit de plus en plus et finit par disparaître.

HI HI HI HI HI HI HI HI HI HI HI HI HI HI HI

Qui riait ainsi de nous ?

Le professeur, tâtonnant dans l'obscurité, mit la patte sur une lampe torche, qu'il alluma.

Puis il se dirigera vers l'interrupteur général et ralluma les lumières.

C'est seulement quand la pièce fut éclairée que je m'aperçus d'un détail important.

Je m'écriai :

—Le papyrus a disparu !

Le professeur pâlit.

Il chercha par terre, dans son bureau, sous son bureau, dans ses poches… il chercha vraiment partout, mais le papyrus n'était nulle part.

QUELQU'UN L'AVAIT VOLÉ…

QUI ?

QUI ?

QUI ?

UNE OMBRE MYSTÉRIEUSE

Hier O'Glyph soupira :

– En plus du morceau de papyrus MANQUANT, il nous faut aussi maintenant retrouver le papyrus qui a DISPARU... Sinon, quelqu'un d'autre pourrait découvrir avant nous le trésor de la Mamie Sans Nom !

Nous longeâmes le couloir, mais je m'arrêtai (à cause de la poussière) pour me moucher : prrrrrrrrr

C'est alors qu'une OMBRE mystérieuse s'étira sur le mur.

Qui donc me suivait ???

L'ombre s'approchait de plus en plus !
Elle était de plus en plus grande !
De plus en plus EFFRAYANTE !
Elle s'étira vers moi comme une griffe.
J'ouvris la bouche pour crier, mais j'avais si peur
qu'il n'en sortit même pas un « scouit » !

J'entendis une voix mystérieuse qui chantonnait :

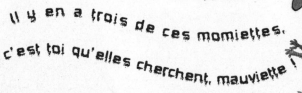

Trois momiettes qui te font trembler...

Qui puent à te donner la nausée...

Trois momiettes qui dansent en rond.

Dont le souffle est nauséabond...

Il y en a trois de ces momiettes,

Et c'est toi qu'elles cherchent, mauviette !

L'ombre s'approchait de plus en plus.

Je hurlai, terrorisé :

– *AU SECOUUUUUUUUUUUURS !*

Je me retournai d'un coup.

Ce n'était pas l'ombre d'une momie, mais... celle d'une vieille dame qui faisait le **ménage** dans le musée !

Elle chantonnait cette lugubre **CHANSONNETTE** en lavant par terre avec son balai-brosse.

Nos regards se croisèrent. Elle sourit et je m'aperçus qu'elle portait un dentier. Je **rougis** :

– Excusez-moi, madame, je vous avais prise pour une mom... enfin, je m'étais trompé.

C'est alors qu'arrivèrent Benjamin, Pandora et le professeur.

Hier O'Glyph me tendit une feuille :

– Voici le plan du musée. Ça va nous aider à retrouver le papyrus !

Le Musée Égyptien de Sourisia

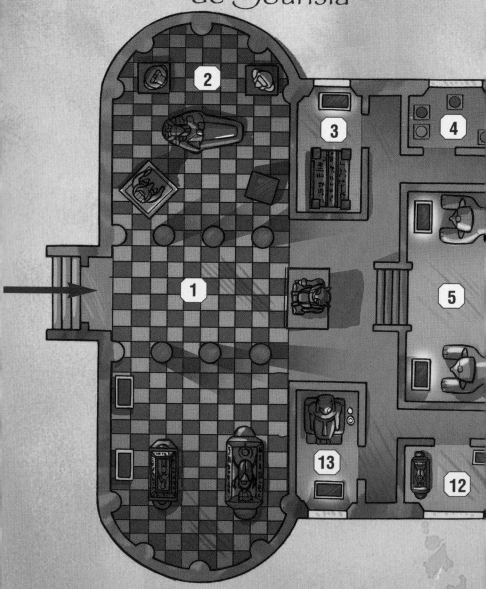

1. Hall d'entrée
2. Momie Sans Nom
3. Salle des Papyrus
4. Salle des Vases Canopes
5. Salle des Sphinx
6. Escalier
7. Salle des Scarabées
8. Salle des Sarcophages
9. Salle des Bijoux
10. Escalier conduisant aux souterrains
11. Bureau d'Hier O'Glyph
12. Salle des Amulettes
13. Salle de Ramsès le Grand

LA SALLE
DES SCARABÉES

Nous arrivâmes devant la Salle des **SCARABÉES** et constatâmes que la porte était fermée à clef !

Le professeur fouilla dans ses poches et s'aperçut qu'il avait oublié la clef dans son bureau.

Il retourna donc sur ses pas.

– J'attends ici avec Benjamin et Pandora, dis-je en éternuant. ATCHOUM ATCHOUM ATCHOUM !

Puis je fis un éternuement géant : ATCHOUUUUUUUM !

Une voix, provenant d'un coin sombre au fond du couloir, murmura :

– À VOS SOUHAITS !

Je répondis :

– Merci !

Puis je compris : c'était la momie !

La voix hurla :

-HOUUU! ALLEZ-VOUS-EEEN... OU ÇE SERAAA TANT PIIIS POUR VOUUUS...

J'allais prendre mes pattes à mon cou, mais Pandora et Benjamin s'élancèrent courageusement à la poursuite de la momie, en criant :

– Nous allons découvrir ton

secret !

Je veux prendre une photo de la momie !

Pandora voulait à tout prix la **PHOTOGRAPHIER**.

Mais la momie souleva...

un nuage de poussière !

Nous éternuâmes tous !

ATCHOUM ATCHOUM ATCHOUM ATCHOUM
ATCHOUM ATCHOUM ATCHOUM ATCHOUM
ATCHOUM ATCHOUM ATCHOUM ATCHOUM
ATCHOUM ATCHOUM ATCHOUM ATCHOUM
ATCHOUM ATCHOUM ATCHOUM !

La momie en profita pour s'enfuir dans le couloir.
C'est alors que le professeur revint avec la clef : nous lui racontâmes ce qui venait de se passer.
Il commenta :
– La **MOMIE** est encore apparue ? Incroyable...
Puis nous pénétrâmes dans la SALLE DES SCARABÉES, où était présentée une merveilleuse collection de précieux scarabées égyptiens en **or**,

en **argent**, en **cuivre**, en **jade**, en **albâtre**,
en **rubis**, en **émeraude** et en **topaze** !
Pour les ÉGYPTIENS, le scarabée était un
animal sacré : un symbole d'immortalité !
Je sursautais à chaque craquement.
Je serrai plus **FORT** les petites pattes de Pandora
et Benjamin :
– N'ayez pas peur, je suis là !
Pandora chicota :
– **Oncle G**, nous n'avons pas peur !
Dans la grande salle, l'écho répéta lugubrement :
– ... PEUR... EUR... EUR...

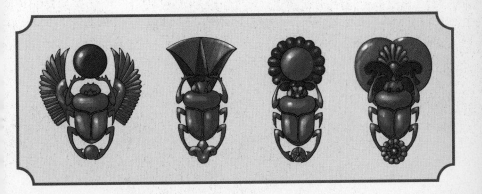

Voici les scarabées !

LA SALLE
DES SARCOPHAGES

Tandis que les autres admiraient les scarabées, je préférai m'aventurer tout seul dans la salle suivante, la SALLE DES SARCOPHAGES.

J'admirai tous les sarcophages posés contre les murs : en Marbre, en GRANIT, en BOIS peint, mais aussi en OR !

Sur la plupart était peint le visage du défunt qui y était enseveli.

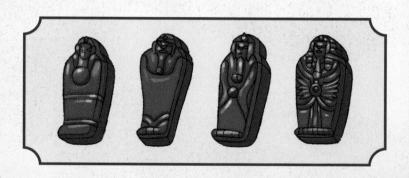

Au milieu de la pièce, je découvris un sarcophage de pierre **vide**.

Je me penchai pour lire l'**ÉTIQUETTE**, mais… quelqu'un, derrière moi, me poussa dans le sarcophage ! Le couvercle se referma sur moi en m'emprisonnant.

> ### SARCOPHAGES
>
> Le mot **sarcophage** vient du grec *sarkophagos*, composé de *sarx* (chair) et *phagein* (manger). Littéralement, il signifie donc « objet qui mange la chair ».

Je criai :

➡ **AU SECOUUUURS !** Je ne veux pas rester enfermé là-dedans pour l'éterni-téééééééé !

Heureusement, mes amis arrivaient à ce moment-là : ils m'entendirent crier et me sortirent du sarcophage. Pfiouuu ! Je l'avais échappé belle !

C'est que je tiens à mon pelage, moi…

LA TRAPPE CACHÉE

Nous avions fait tout le tour du **MUSÉE ÉGYPTIEN**, mais nous n'avions encore rien trouvé… ni papyrus ni trésor !

Comme le professeur voulait continuer nos recherches, il proposa :

– Retournons dans les **SOUTERRAINS**, où j'ai découvert la **Momie Sans Nom**. Peut-être y trouverons-nous un indice pour résoudre ce mystère !

Je répondis, **tremblant**, le pelage hérissé par la peur :

– Heiiin ? Descendre dans les souterrains ? Mais ce n'est pas un peu **DANGEREUX** ?

Il répliqua *tranquillement* :

– Si vous préférez, Geronimo, vous pouvez rester ici.

MAIS RESTER TOUT SEUL DANS LE NOIR, DANS UN MUSÉE INFESTÉ DE MOMIES HURLEUSES...
...C'ÉTAIT ENCORE PLUS DANGEREUX QUE DE DESCENDRE DANS LES SOUTERRAINS !

À la lueur vacillante d'une bougie, nous commençâmes à descendre l'escalier qui conduisait aux souterrains du musée.

Nos pas résonnaient lugubrement dans l'obscurité.

Nous descendions...

descendions...

descendions...

...jusqu'à ce que nous arrivions dans un souterrain encombré d'objets.

Le professeur expliqua :

– Jadis, ces pièces étaient exposées dans les salles

du musée, mais, désormais, elles gisent ici, oubliées !

Le professeur posa le bougeoir par terre et poursuivit :

– C'est justement ici que j'ai trouvé le sarcophage d'or qui contenait la **Momie Sans Nom** !

Ça sentait si fort la **poussière** que j'en avais le souffle coupé !

C'est alors que je remarquai des empreintes mystérieuses dans la poussière... Nous décidâmes de les suivre !

Elles conduisaient à une trappe dans le sol.

Le professeur, intrigué, empoigna le lourd anneau de métal fixé sur la trappe et tira de toutes ses forces :

– Ooooooooooh... Hiiiiiisse !

DES SOURIS PRISES AU PIÈGE !

Nous nous approchâmes du bord et essayâmes de distinguer quelque chose dans le noir. Le professeur s'exclama :

– C'est une salle secrète ! Allons jeter un coup d'œil !

Je marmonnai :

– Hum, ce n'est pas un peu DANGEREUX ?

L'un derrière l'autre, nous nous laissâmes glisser dans la salle, qui était aussi sombre que l'estomac d'un CHAT AFFAMÉ.

Je humai l'air, intrigué.

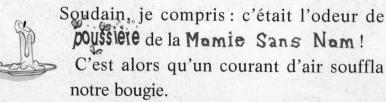

Soudain, je compris : c'était l'odeur de poussière de la Mamie Sans Nom !

C'est alors qu'un courant d'air souffla notre bougie.

Mon pelage se hérissa de frousse !

Dans le noir, nous entendîmes un bruit sec : c'était la trappe qui se refermait AU-DESSUS de nous !

Nous étions pris au piège !

La voix de la MOMIE hurla :

— VOUS NE SORTIREEEZ PLUS JAMAIIIS DE LÀÀÀ...

Je balbutiai :

— M-mais professeur... cette pièce doit avoir une autre issue.

Dans l'obscurité, le professeur soupira :

— Non. Nous n'avons de l'air que pour une heure. Essayons de ne pas nous agiter et de respirer lentement, pour économiser l'oxygène !

Je haletai :

— Je l'avais bien dit que c'était DANGEREUX de descendre !

Le professeur me disputa :

— Geronimo, arrête de haleter, tu gaspilles l'oxygène !

Pandora et Benjamin lui firent écho dans le noir :

– Oncle Geronimo, arrête de haleter, tu gaspilles l'oxygène !

J'essayai de me calmer, mais ce n'était pas facile : j'étais enfermé dans le noir...

dans une salle secrète... qui ne tarderait pas à se transformer... en un **TOMBEAU** !

Mais, soudain, j'eus une idée.

– Professeur, montez sur mes épaules ! Benjamin, tu monteras ensuite sur les épaules du professeur ! Pandora, tu monteras à ton tour sur celles de Benjamin et tu ouvriras la trappe !

COMME...
MES COMPAGNONS...
ÉTAIENT LOURDS !
AOUFFFFFFFFFFFFFFFFFFFFFF !

J'atteins la trappe !

Allez !

Courage !

Aoufff !

Je hurlai :

– *DÉPÊCHEZ-VOUS* ! Je ne sais pas si je vais tenir longtemps !

Enfin, j'entendis un grincement : Pandora avait réussi à ouvrir la *trappe* !

Elle sortit et revint peu après avec une corde qu'elle avait trouvée dans les souterrains : elle nous aida alors à remonter.

Mais... qui nous avait emprisonnés là-dedans

Nous regardâmes autour de nous, d'un air soupçonneux : soudain, nous entendîmes un bruissement. Qui se cachait dans le noir ?

Je me retournai brusquement et je la vis : c'était la vieille femme de ménage !

Elle essaya de SOUR!R€ d'un air innocent et dit d'une petite voix doucereuse :

– Oh, salut, vous êtes là ?

Mais je m'aperçus qu'un morceau de papyrus dépassait de son sac à main !

– Madame, lui ordonnai-je, rendez-nous ce papyrus !

Elle fit semblant de ne pas avoir entendu :

– Papyrus ? Euh, quel papyrus ?

Je rétorquai :

– Celui que vous nous avez volé, madame !

D'un mouvement vif, très surprenant chez une personne de son âge, elle se précipita vers l'escalier en ricanant… et en laissant derrière elle un nuage de poussière !

Rouleau de papyrus !

Ha ha haaaa !

JE T'AI DÉMASQUÉE !
TU ES...

Pandora et Benjamin tentèrent de l'arrêter.

Pandora l'attrapa par les cheveux : *je m'aperçus que la dame portait une* perruque, *et que, en réalité, elle avait de longs cheveux blonds !*

Benjamin s'accrocha à l'ourlet de sa robe : *je m'aperçus que, sous sa robe à* FLÊURS, *elle portait une combinaison noire moulante !*

Elle arracha elle-même le faux DENTIER et le masque de caoutchouc qu'elle portait : *je m'aperçus qu'elle était jeune et très belle !*

Je criai :

– Je t'ai démasquée ! Tu es OMBRE ! La plus célèbre voleuse de Sourisia !

Elle fixa sur moi un regard GLACIAL.

Puis elle se rengorgea :

– Eh oui, c'est moi, OMBRE !

O *comme* OBSCURITÉ... CELLE OÙ JE ME GLISSE !

M *comme* MAIS PERSONNE NE M'ARRÊTERA !

B *comme* BIEN MAL ACQUIS NE PROFITE QU'À MOI !

R *comme* RICHESSE QUI DONNE LE POUVOIR !

E *comme* ENCORE MOI !

OMBRE

C'est la mystérieuse cousine de Sally Rasmaussen (directrice de LA GAZETTE DU RAT et ennemie numéro un de Geronimo). Ombre est une rongeuse ravissante mais sans scrupule : elle est prête à tout pour s'enrichir. Spécialiste en déguisements, elle connaît tous les trucs pour passer inaperçue. Geronimo l'a connue à l'occasion de son aventure *Le Mystérieux voleur de fromage*.

Je m'exclamai :
– Je comprends tout : tu t'es déguisée en femme de **ménage**...
Benjamin ajouta :
– ...et en **MOMIE** !

Pandora ajouta :
– ...et tu avais besoin que le MUSÉE reste désert...

Le professeur Hier O'Glyph conclut :
– ...pour ne pas être dérangée pendant que tu cherchais le trésor de la **Momie Sans Nom** !

Avant que nous ne puissions la retenir, elle pulvérisa dans l'air un nuage de **poussière** et nous nous mîmes tous à éternuer.

ATCHOUM ATCHOUM ATCHOUM ATCHOUM
ATCHOUM ATCHOUM ATCHOUM ATCHOUM
ATCHOUM ATCHOUM ATCHOUM ATCHOUM
ATCHOUM ATCHOUM ATCHOUM ATCHOUM
ATCHOUM ATCHOUM ATCHOUM ATCHOUM
ATCHOUM ATCHOUM ATCHOUM ATCHOUM
ATCHOUM ATCHOUM ATCHOUM ATCHOUM
ATCHOUM ATCHOUM ATCHOUM ATCHOUM
ATCHOUM ATCHOUM ATCHOUM ATCHOUM
ATCHOUM ATCHOUM ATCHOUM ATCHOUM
ATCHOUM ATCHOUM ATCHOUM ATCHOUM
ATCHOUM   ATCHOUM   ATCHOUM
ATCHOUM ATCHOUM ATCHOUM
ATCHOUM ATCHOUM ATCHOUM
ATCHOUM ATCHOUM ATCHOUM
ATCHOUM ATCHOUM ATCHOUM
ATCHOUM ATCHOUM ATCHOUM
ATCHOUM ATCHOUM ATCHOUM
ATCHOUM ATCHOUM ATCHOUM
ATCHOUM ATCHOUM ATCHOUM
ATCHOUM ATCHOUM ATCHOUM
ATCHOUM   ATCHOUM   ATCHOUM
ATCHOUM ATCHOUM ATCHOUM ATCHOUM
ATCHOUM ATCHOUM ATCHOUM ATCHOUM
ATCHOUM ATCHOUM ATCHOUM ATCHOUM!

Dès que le nuage de **poussière** se fut dissipé, je regardai autour de moi, les yeux larmoyants et le nez coulant.

OMBRE avait disparu !

Je soupirai :

– Une fois de plus, elle nous a échappé ! Nous n'arriverons jamais à la capturer !

Benjamin me tira par la manche, en brandissant une mystérieuse feuille jaunâtre :

– Tonton, Pandora et moi avons trouvé *ceci*. Ça avait glissé sous une **CAISSE DE BOIS**, dans le coin le plus sombre du souterrain !

Pandora expliqua fièrement :

– Sans doute le professeur ne l'a-t-il pas vu quand il a découvert la **MOMIE** !

J'écarquillai les yeux.

C'était... le morceau manquant du papyrus ! •••••

MAIS QUEL EST LE TRÉSOR DU PHARAON ???

Voici le premier morceau du papyrus!

Voici le second morceau du papyrus!

Le professeur Hier O'Glyph exulta :

– Bravo Benjamin, bravo Pandora ! Nous avons désormais les deux morceaux du papyrus ! Nous allons découvrir ce qu'est le précieux trésor du pharaon.

Nous retournâmes dans son bureau et nous nous assîmes par terre autour de lui, **impatients** de savoir.

Le professeur rapprocha les deux morceaux, puis, très ému, commença à traduire les mystérieux hiéroglyphes égyptiens...

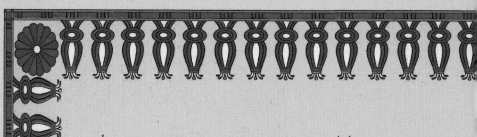

Je suis le pharaon de la Haute et
de la Basse Égypte.
Je repose dans un précieux
sarcophage d'or.
J'ai régné sur les fertiles terres
baignées par le Nil.
J'ai régné sur tous ceux
qui y habitaient. J'ai régné
dans un grand palais, avec
d'innombrables richesses,
une armée puissante et
une foule de serviteurs.
Je vais révéler un grand secret :
mon trésor le plus précieux est...

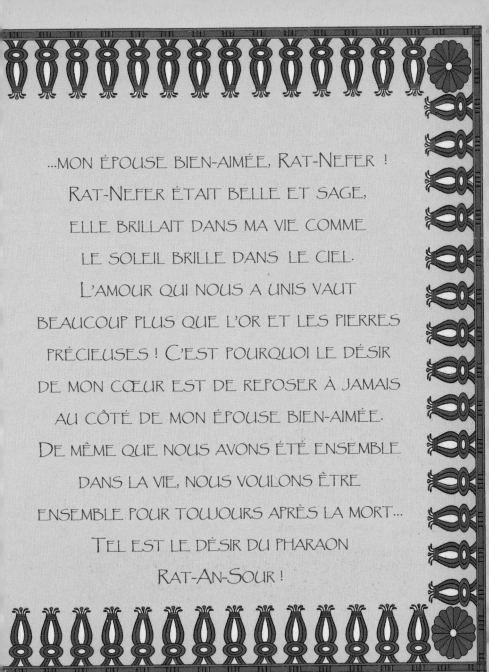

...MON ÉPOUSE BIEN-AIMÉE, RAT-NEFER !
RAT-NEFER ÉTAIT BELLE ET SAGE,
ELLE BRILLAIT DANS MA VIE COMME
LE SOLEIL BRILLE DANS LE CIEL.
L'AMOUR QUI NOUS A UNIS VAUT
BEAUCOUP PLUS QUE L'OR ET LES PIERRES
PRÉCIEUSES ! C'EST POURQUOI LE DÉSIR
DE MON CŒUR EST DE REPOSER À JAMAIS
AU CÔTÉ DE MON ÉPOUSE BIEN-AIMÉE.
DE MÊME QUE NOUS AVONS ÉTÉ ENSEMBLE
DANS LA VIE, NOUS VOULONS ÊTRE
ENSEMBLE POUR TOUJOURS APRÈS LA MORT...
TEL EST LE DÉSIR DU PHARAON
RAT-AN-SOUR !

Quand le professeur eut fini de traduire, un très profond silence s'installa.

Nous étions tous très émus : après tant de millénaires, cette HISTOIRE D'AMOUR provoquait encore tant d'émotion !

Le professeur s'assit devant son ordinateur, le consulta et annonça :

– Le pharaon Rat-An-Sour était marié à la belle et sage Rat-Nefer. Ils vécurent un grand amour : ils eurent **DOUZE ENFANTS** !

Le pharaon Rat-An-Sour, son épouse bien-aimée Rat-Nefer et leurs douze enfants !

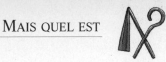

Ce fut un règne très **l o n g** et très **heureux**, parce que le pharaon refusa de se consacrer à la guerre pour apporter à son peuple la paix et la prospérité.

Benjamin remarqua :

– Si Rat-An-Sour souhaitait reposer auprès de Rat-Nefer, il serait juste de les réunir.

Pandora s'écria :

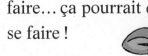

– T-r-è-s j-u-s-t-e !

Le professeur se gratta la barbe, en marmonnant :

– Hum, ça pourrait se faire... ça pourrait se faire... ça pourrait se faire !

Hum, ça pourrait se faire...

Un amour...
qui dure à jamais !

Le professeur contacta le Ministère de la Culture de Sourisia et obtint l'autorisation de rapporter la MOMIE de Rat-An-Sour au Caire, capitale de l'Égypte.

Tous ensemble, avec Patty Spring, nous accompagnâmes la momie dans ce long voyage de retour jusque chez elle !

Enfin, nous arrivâmes au MUSÉE ÉGYPTIEN DU CAIRE.

Le sarcophage de Rat-An-Sour fut transporté dans la SALLE DES MOMIES, où, à l'occasion d'une cérémonie solennelle, il fut placé à côté de celui de son épouse, la reine Rat-Nefer.

Voici les sarcophages de Rat-An-Sour et de Rat-Nefer enfin réunis !

Le professeur Hier O'Glyph s'exclama :

– Ô valeureux Rat-An-Sour, dors paisiblement pour l'éternité ! Justice est faite. Tu es de retour en Égypte, la terre où tu es né !

Benjamin effleura les deux sarcophages :

– Désormais, plus personne ne troublera leur sommeil !

Je SOURIS, satisfait :

– Oui, ils reposeront ensemble pour l'éternité.

Patty soupira :

– Comme c'est romantique… c'est vraiment un **GRAND AMOUR** !

Tandis que nous montions dans l'avion qui nous ramènerait à Sourisia, j'expliquai à Benjamin :

– Nous éprouvons tous une grande curiosité pour les momies, parce qu'elles sont le témoignage d'une civilisation encore MYSTÉRIEUSE.

Il est bon de les étudier pour connaître les secrets de l'ÉGYPTE ANTIQUE… mais il faut les respecter. Désormais, le pharaon Rat-An-Sour et sa femme Rat-Nefer ne sont que des momies. Mais, autrefois, comme nous, ils ont éprouvé des sentiments, des passions, des émotions… et ils ont le droit de reposer pour jamais en paix, sur leur terre !

C'est moi, Geronimo Stilton, dans cet avion… ou plutôt, c'est nous tous !

ROSE... PLASTIQUE... GLISSANT !

Quand nous arrivâmes à Sourisia, j'attendis que les PORTES de l'avion s'ouvrent.

Je commençai à descendre la **passerelle** mais, soudain, je posai le pied sur quelque chose de rose/plastique/glissant : la PLANCHE À ROULETTES de Pandora !

Je hurlai :

— AU SECOUUUUUUUUUUUUURS !

Je dévalai la passerelle en effectuant un triple **saut** de la mort avec vrille.

J'atterris en faisant un plat et **marmonnai** :

– Ouf, au moins, je ne me suis pas écrabouillé le museau.

Mais, un instant plus tard…

la planche à roulettes de Pandora…

me retomba sur le museau…

et je m'évanouis !

PAR MILLE MIMOLETTES, MÊME ICI JE NE PEUX PAS AVOIR LA PAIX ?

Quand je revins à moi, j'étais à l'hôpital. J'avais des fractures partout partout partout ! Et j'étais BANDÉ BANDÉ BANDÉ... comme une momie égyptienne !

Je balbutiai :

– Q-quel horrible cauchemar... j'ai rêvé que je faisais la connaissance d'une drôle de petite souris... et que j'étais poursuivi par une momie dans les souterrains du Musée Égyptien... et que je roulais sur une PLANCHE À ROULETTES jusqu'au bas d'une passerelle d'avion... cette drôle de petite souris s'appelait... s'appelait... s'appelait...

Soudain, un museau couleur noisette,

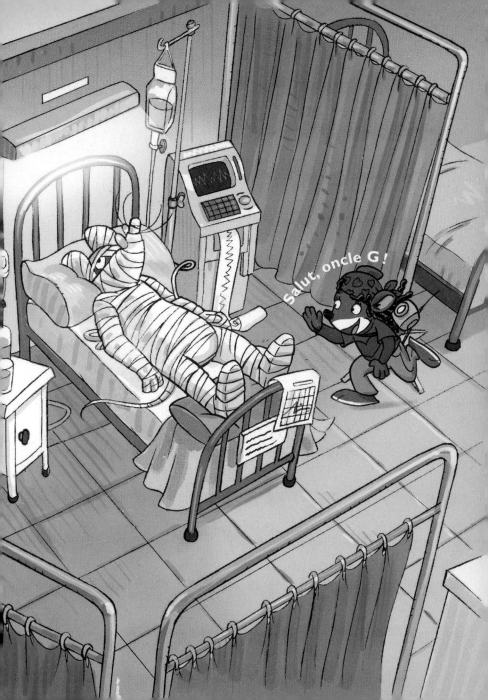

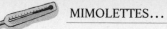

avec des **cheveux noirs** coiffés en d'innombrables petites tresses, se pencha sur moi !

J'écarquillai les yeux :

– **Pandoraaaa** ?

Elle sautilla, tout heureuse, en hurlant :

– Ooooooooncle G !

Puis elle m'agita trois doigts devant le museau :

– Oncle G, voyons un peu si ta citrouille fonctionne encore. Combien y a-t-il de doigts, là ? Hein ? Combien combien combien ?

Je protestai :

– Il y en a trois ! Mais, *par mille mimolettes,* même ici je ne peux pas avoir la paix ?

Mais je n'avais pas fini ma phrase qu'elle m'avait fourré un THERMOMÈTRE dans la bouche.

– Ne parle pas, oncle G, même pas pour dire *scouit !* Il faut que tu te reposes ! Tiens-toi tranquille ! Mange ! Dors ! Guéris ! Je m'occupe de toi !

Heureusement, mon neveu Benjamin arriva à ce moment-là.

Il chicota :

– Tonton, comment te sens-tu ?

Je soupirai :

– Bien, mais je regrette de ne pas pouvoir organiser ta fête d'**ANNIVERSAIRE**. Je te l'avais promis et je tiens toujours mes promesses.

Pandora hurla :

– Surpriiiiiiiiise ! Oncle G, c'est moi qui ai organisé la fête ! Sur le thème des… momies ! Ce sera une très amusante MOMIE PARTY !

Benjamin s'écria, tout joyeux :

– Assourissant !

Je protestai :

– Une Mommmmmmmmmmie Party ? Mais... si... enfin...

Elle mit la patte sur ma bouche :

– Pas de mais/si/enfin, oncle G. Ce sera une *fête inoubliable* !

Je marmonnai :

– Inoubliable ? Dans quel sens ? Qu'est-ce que je n'arriverai pas à oublier ?

Elle **CRIA** :

– Tu ne pourras pas oublier que j'ai envoyé des invitations en forme de sarcophage ! Tu ne pourras pas oublier qu'il y aura des yeux de momie au menu ! Tu ne pourras pas oublier qu'on dansera la *Danse du Pharaon* ! Tu ne pourras pas oublier que...

– En effet, je crois que je ne pourrai pas oublier une fête pareille. Et où aura-t-elle lieu ?

Elle trépigna :

– Mais chez toi, oncle G !

– Chez moi ? Et combien de personnes as-tu invitées ?

Pandora *cligna* de l'œil :

– J'ai vu les choses en grand, tonton. J'ai invité : **tous** les amis… **tous** les voisins… **tous** les collaborateurs de l'*Écho du rongeur*… **tous** ceux qui travaillent au MUSÉE ÉGYPTIEN DE SOURISIA… **tous tous tous et toutes toutes toutes**… Tu vas voir comme on *s'amusera*, oncle G ! Comme dit toujours tante Patty, *« plus on est de fous, plus on rit »* !

Je m'évanouis.

Heureusement, j'étais déjà allongé sur un lit.

UNE MOMIE PARTY... INOUBLIABLE !

Roudoudou

Je sortis de l'hôpital juste le jour de la FÊTE ! Pandora me présenta **Roudoudou**, son petit frère chéri (une petite souris terrible, qui ne tenait pas en place) et son cousin **Zak**. Zak était très sympathique... et devint aussitôt un grand **ami** de Pinky Pick ! Tous les deux raffolaient des fêtes ! Tous les deux **adoraient** les blagues !

Ils commencèrent à raconter un tas d'histoires drôles...

Zak

Les BLAGUES de Zak et Pinky Pick !

Dans l'Égypte antique, à l'école des hiéroglyphes...
– Attention à l'orthographe, Kamout, dit
le maître. Tu oublies toujours que « costaud »...
s'écrit avec deux biceps!

Quelle est la différence entre une voiture
européenne et une voiture égyptienne?
La voiture européenne est une *grosse
cylindrée*, la voiture égyptienne une *grosse
pyramidée*.

Quel est le comble
pour un pharaon égyptien?
D'avoir un papy russe!

Le maître demande à Manon :
– Comment appelle-t-on les habitants
de l'Égypte antique?
– Euh... *les momies?*

Comme tous deux adoraient danser, ils apprirent aussitôt la Danse du Pharaon !

LES INVITÉS S'AMUSAIENT ÉNORMÉMENT !

Eh oui, ce fut vraiment une fête inoubliable.
C'est que ça n'arrive pas tous les jours de rencontrer une Momie Sans Nom...

COMMENT ORGANISER UNE

MOMIE PARTY

TERRIBLE !

CHAÎNE DE MOMIES

1 Prends une bande de papier marron et plie-la en accordéon.

2 Dessine la silhouette d'une momie sur la première page et découpe-la à l'aide des ciseaux à bouts ronds.

3 Déplie la guirlande et accroches-en plusieurs aux murs de la pièce !

TABLE MOMIFIÉE

1 Entoure les pieds de la table et des chaises avec du papier hygiénique, pour qu'ils aient l'air d'avoir été momifiés !

2 Recouvre la table de papier crépon blanc de manière à faire une nappe.

3 Dessine plein de scarabées sur le carton marron (tu peux recopier le modèle ci-contre). Puis découpe-les avec les ciseaux à bouts ronds.

4 Colle les scarabées sur le bord de la nappe !

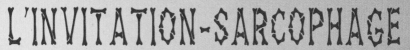

L'INVITATION-SARCOPHAGE

Comment invite-t-on ses copains à une Momie Party ? Avec une invitation en forme de sarcophage égyptien ! Voilà comment procéder.

1 Copie ou décalque sur une feuille de papier le dessin du sarcophage qui se trouve sur la page suivante.

2 Découpe-le avec les ciseaux à bouts ronds et colore-le comme tu préfères.

3 Écris l'invitation au dos du papier.

4 Prépare autant de sarcophages que tu as d'amis à inviter, puis remets l'invitation à chacun !

Dos de l'invitation !

LA MOMIE

EST INVITÉE

LE

A

RUE

HEURES

POUR UNE ASSOURISSANTE MOMIE PARTY !

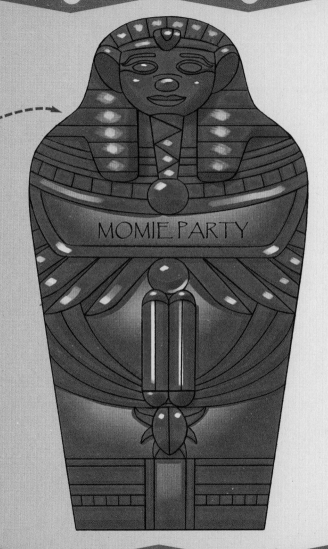

MOMIE PARTY

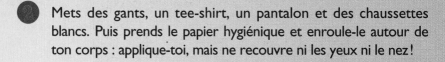

LA MOMIE !

CE QU'IL FAUT :
- DU FARD À PAUPIÈRES NOIR
- UN ROULEAU DE PAPIER HYGIÉNIQUE BLANC
- DU RUBAN ADHÉSIF
- UN TEE-SHIRT BLANC
- UN PANTALON BLANC
- DES CHAUSSETTES BLANCHES
- DES GANTS BLANCS

1 Demande à ta maman de te prêter un peu de fard à paupières noir et mets-en un peu autour de tes yeux : cela te donnera des cernes... de momie !

2 Mets des gants, un tee-shirt, un pantalon et des chaussettes blancs. Puis prends le papier hygiénique et enroule-le autour de ton corps : applique-toi, mais ne recouvre ni les yeux ni le nez !

3 Attache les « bandelettes » avec le ruban adhésif. Maintenant... il ne te reste qu'à déambuler en hurlant !

HOUUUUUUUUU !
HOUUUUUUUUUUUUU !

L'ÉGYPTE ANTIQUE !

1 Prépare une fausse perruque en découpant à l'aide des ciseaux à bouts ronds une bande de carton noir aussi longue que la circonférence de ta tête.

2 À l'intérieur du carton, attache avec le ruban adhésif des brins de laine noire : ils doivent tous être de la même longueur pour former un beau casque !

3 Mets une tunique blanche ou un grand tee-shirt de ton papa. Attache autour de ta taille l'écharpe de couleur.

4 Mets un peu de fard à paupières noir autour de tes yeux et... regarde-toi dans un miroir : on dirait vraiment un Égyptien de l'Antiquité !

OS DE MOMIE

1 Demande à un adulte de découper dans le fond de génoise des petits morceaux en forme d'os.

2 Recouvre les os d'une couche de crème chantilly et dispose-les sur un plateau : on dirait vraiment des os momifiés !

INGRÉDIENTS :
- UN FOND DE GÉNOISE
- CRÈME CHANTILLY

ARAIGNÉES... ÉGYPTIENNES

1 Demande à un adulte de couper les petits pains en deux et de les farcir avec le jambon.

2 Enfonce deux olives dans la partie supérieure du pain : ça fera les yeux !

3 Ajoute les pattes en piquant quatre cure-dents de chaque côté et... bon appétit !

INGRÉDIENTS :
- DES PETITS PAINS RONDS
- DU JAMBON CUIT EN TRANCHE
- DES OLIVES
- DES CURE-DENTS

BISCUITS À LA POUSSIÈRE DE MOMIE

INGRÉDIENTS :
- DES BISCUITS SECS ET RONDS
- UN CITRON
- DU SUCRE GLACE
- DES PASTILLES DE CHOCOLAT

1 Prépare le glaçage en mélangeant dans un bol le sucre glace et un peu de jus de citron.

2 Étale le glaçage sur les biscuits.

3 Avec les pastilles de chocolat, dessine le M de « momie » sur les biscuits !

---

1 Demande à un adulte de préparer des œufs durs, de les écaler et de les couper en deux.

2 Dispose les moitiés d'œuf sur un plateau, le jaune vers le haut.

3 Ajoute une tranche de saucisse au milieu et un trait de mayonnaise pour former les sourcils : tu n'as pas l'impression que quelqu'un… t'épie ?

YEUX DE MOMIE

INGRÉDIENTS :
- DES ŒUFS DURS
- UNE SAUCISSE
- DE LA MAYONNAISE

LA DANSE DE LA MOMIE

Choisis une musique bien rythmée et déchaîne-toi,
avec tes amis, dans une danse... à faire peur !

1 Lève le bras droit devant toi, puis le gauche et garde les deux bras tendus.

2 Fais un pas en avant avec la jambe droite, puis un autre pas avec la gauche.

3 Arrête-toi, lève les bras et secoue-les en hurlant comme si tu étais une momie.

4 Toujours en secouant les bras, plie-toi en deux, jusqu'à ce que ton museau frôle le sol.

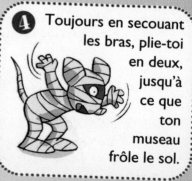

RECOMMENCE DEPUIS LE DÉBUT ET RÉPÈTE LES MOUVEMENTS

LA DANSE DU PHARAON

1 Prévoie autant de chaises qu'il y a de joueurs, moins une, puis dispose-les en cercle : elles représentent vos sarcophages.

2 Commence à danser en rond dans la pièce. Quand la musique est interrompue, chaque joueur-momie doit regagner sa chaise-sarcophage et s'asseoir.

3 Celui qui n'a pas de chaise est éliminé. Le jeu continue, mais chaque fois on enlève une chaise.

C'est celui qui a toujours réussi à s'asseoir qui a gagné !

TABLE DES MATIÈRES

C'ÉTAIT UN PARESSEUX APRÈS-MIDI
D'OCTOBRE…   7

EUH, Q-QUI ES-TU ?   9

JE PEUX T'APPELER « ONCLE G » ?   14

AMOUREUX ? MAIS NON, MAIS SI,
ENFIN PEUT-ÊTRE…   18

POURQUOI LE MUSÉE EST-IL DÉSERT ?
BIZARRE !!   22

TU ES SÛR DE NE PAS AVOIR
LA CITROUILLE CREUSE ?   28

DEUX NOUVEAUX ASSISTANTS
POUR LE PROFESSEUR HIER O'GLYPH   32

LE MYSTÈRE DE LA MOMIE SANS NOM   38

JE SUIS LE PHARAON…   42

QUI A ÉTEINT LA LUMIÈRE ?
QUI ? QUI ? QUIII ?   46

UNE OMBRE MYSTÉRIEUSE   52

LA SALLE DES SCARABÉES   58

LA SALLE DES SARCOPHAGES   64

LA TRAPPE CACHÉE   68

DES SOURIS PRISES AU PIÈGE !   72

JE T'AI DÉMASQUÉE ! TU ES…   78

MAIS QUEL EST LE TRÉSOR
DU PHARAON ???   84

UN AMOUR… QUI DURE À JAMAIS !   90

ROSE… PLASTIQUE… GLISSANT !   94

PAR MILLE MIMOLETTES,
MÊME ICI JE NE PEUX PAS AVOIR LA PAIX ?   96

UNE MOMIE PARTY… INOUBLIABLE !   102

COMMENT ORGANISER UNE MOMIE PARTY   107

Geronimo Stilton

DANS LA MÊME COLLECTION

1. Le Sourire de Mona Sourisa
2. Le Galion des chats pirates
3. Un sorbet aux mouches pour monsieur le Comte
4. Le Mystérieux Manuscrit de Nostraratus
5. Un grand cappuccino pour Geronimo
6. Le Fantôme du métro
7. Mon nom est Stilton, Geronimo Stilton
8. Le Mystère de l'œil d'émeraude
9. Quatre Souris dans la Jungle-Noire
10. Bienvenue à Castel Radin
11. Bas les pattes, tête de reblochon !
12. L'amour, c'est comme le fromage...
13. Gare au yeti !
14. Le Mystère de la pyramide de fromage
15. Par mille mimolettes, j'ai gagné au Ratoloto !
16. Joyeux Noël, Stilton !
17. Le Secret de la famille Ténébrax
18. Un week-end d'enfer pour Geronimo
19. Le Mystère du trésor disparu
20. Drôles de vacances pour Geronimo !
21. Un camping-car jaune fromage
22. Le Château de Moustimiaou
23. Le Bal des Ténébrax
24. Le Marathon du siècle
25. Le Temple du Rubis de feu
26. Le Championnat du monde de blagues
27. Des vacances de rêve à la pension Bellerate
28. Champion de foot !
29. Le Mystérieux Voleur de fromages

30. Comment devenir une super souris en quatre jours et demi
31. Un vrai gentilrat ne pue pas !
32. Quatre souris au Far-West
33. Ouille, ouille, ouille... quelle trouille !
34. Le karaté, c'est pas pour les ratés !
35. Attention les moustaches... Sourigon arrive !
36. L'Île au trésor fantôme
37. Au secours, Patty Spring débarque !
38. La Vallée des squelettes géants
39. Opération sauvetage
40. Retour à Castel Radin
41. Enquête dans les égouts puants
42. Mot de passe : Tiramisu
43. Dur dur d'être une super souris !
44. Le Secret de la momie
45. Qui a volé le diamant géant ?
46. À l'école du fromage
47. Un Noël assourissant !
48. Le Kilimandjaro, c'est pas pour les zéros !

● Hors-série
  Le Voyage dans le temps (tome I)
  Le Voyage dans le temps (tome II)
  Le Royaume de la Fantaisie
  Le Royaume du Bonheur
  Le Royaume de la Magie
  Le Secret du courage
  Énigme aux jeux Olympiques

● Téa Sisters
  Le Code du dragon
  Le Mystère de la montagne rouge
  La Cité secrète
  Mystère à Paris
  Le Vaisseau fantôme
  New York New York !
  Le Trésor sous la glace

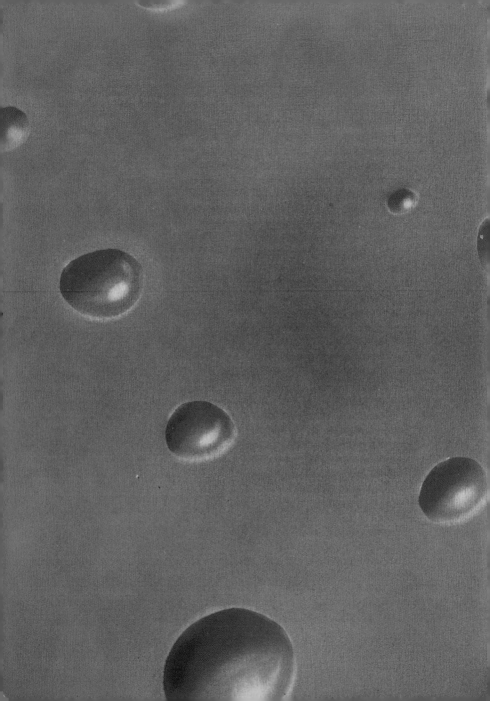

L'ÉCHO DU RONGEUR
1. Entrée
2. Imprimerie (où l'on imprime les livres et le journal)
3. Administration
4. Rédaction (où travaillent les rédacteurs, les maquettistes et les illustrateurs)
5. Bureau de Geronimo Stilton
6. Piste d'atterrissage pour hélicoptère

1

2

3

4

8

9

18

13

12

19

11

17

10

15

28

22

5

20

26

23

7

27

14

16

25

40

21

24

36

37

38

29

31

41

32

33

34

6

30

Plage

35

39

42

43

Fleuve Souris

Sourisia, la ville des Souris

1. Zone industrielle de Sourisia
2. Usine de fromages
3. Aéroport
4. Télévision et radio
5. Marché aux fromages
6. Marché aux poissons
7. Hôtel de ville
8. Château de Snobinailles
9. Sept collines de Sourisia
10. Gare
11. Centre commercial
12. Cinéma
13. Gymnase
14. Salle de concerts
15. Place de la Pierre-qui-Chante
16. Théâtre Tortillon
17. Grand Hôtel
18. Hôpital
19. Jardin botanique
20. Bazar des Puces-qui-boitent
21. Parking
22. Musée d'Art moderne
23. Université et bibliothèque
24. La Gazette du rat
25. L'Écho du rongeur
26. Maison de Traquenard
27. Quartier de la mode
28. Restaurant du Fromage d'or
29. Centre pour la Protection de la mer et de l'environnement
30. Capitainerie du port
31. Stade
32. Terrain de golf
33. Piscine
34. Tennis
35. Parc d'attractions
36. Maison de Geronimo Stilton
37. Quartier des antiquaires
38. Librairie
39. Chantiers navals
40. Maison de Téa
41. Port
42. Phare
43. Statue de la Liberté

ÎLE DES SOURIS

Île des Souris

1. Grand Lac de glace
2. Pic de la Fourrure gelée
3. Pic du Tienvoiladéglaçons
4. Pic du Chteracontpacequilfaifroid
5. Sourikistan
6. Transourisie
7. Pic du Vampire
8. Volcan Souricifer
9. Lac de Soufre
10. Col du Chat Las
11. Pic du Putois
12. Forêt-Obscure
13. Vallée des Vampires vaniteux
14. Pic du Frisson
15. Col de la Ligne d'Ombre
16. Castel Radin
17. Parc national pour la défense de la nature
18. Las Ratayas Marinas
19. Forêt des Fossiles
20. Lac Lac
21. Lac Lac Lac
22. Lac Laclaclac
23. Roc Beaufort
24. Château de Moustimiaou
25. Vallée des Séquoias géants
26. Fontaine de Fondue
27. Marais sulfureux
28. Geyser
29. Vallée des Rats
30. Vallée Radégoûtante
31. Marais des Moustiques
32. Castel Comté
33. Désert du Souhara
34. Oasis du Chameau crachoteur
35. Pointe Cabochon
36. Jungle-Noire
37. Rio Mosquito

Au revoir, chers amis rongeurs, et à bientôt
pour de nouvelles aventures.
Des aventures au poil, parole de Stilton, de...

Geronimo Stilton